THE TRASH PACK

LES CRASSEUX DANS VOTRE POUBELLE !

BLAGUES ET HISTOIRES

DÉGUEU

2

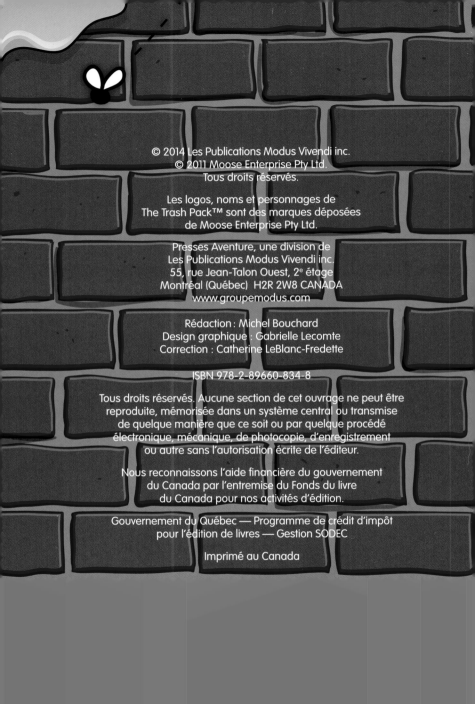

© 2014 Les Publications Modus Vivendi inc.
© 2011 Moose Enterprise Pty Ltd.
Tous droits réservés.

Les logos, noms et personnages de
The Trash Pack™ sont des marques déposées
de Moose Enterprise Pty Ltd.

Presses Aventure, une division de
Les Publications Modus Vivendi inc.
55, rue Jean-Talon Ouest, 2ᵉ étage
Montréal (Québec) H2R 2W8 CANADA
www.groupemodus.com

Rédaction : Michel Bouchard
Design graphique : Gabrielle Lecomte
Correction : Catherine LeBlanc-Fredette

ISBN 978-2-89660-834-8

Nous reconnaissons l'aide financière du gouvernement
du Canada par l'entremise du Fonds du livre
du Canada pour nos activités d'édition.

Gouvernement du Québec — Programme de crédit d'impôt
pour l'édition de livres — Gestion SODEC

Imprimé au Canada

THE TRASH PACK™

LES CRASSEUX DANS VOTRE POUBELLE !

Des blagues puantes,
des devinettes répugnantes,
des énigmes dégoûtantes et
des histoires nauséabondes
avec tes amis préférés :
les Trashies !

**LES CRASSEUX SONT
DANS TA POUBELLE !**

Par Michel Bouchard

Le-Flu a une devise préférée :
« Tousse, mais tousse égal ! »

Toc toc toc !
Qui est là ?
Ray…
Ray qui ?
Ray-gurgiter comme
Crach'Vomi !

7

GRIP'MORVE :

Grip'Morve porte bien son nom et, lorsqu'il est en ville, tout le monde tente de l'éviter. Un « picossage » de sa part et on se sent tout de suite malade. Pire : il n'y a pas de remède contre cette infection atroce !

FAMILLE DE TRASHIES :
LES CONTAMINÉS

GRIP'MORVE

D-GOÛTANT

VIRUS-FOU

LE-FLU

BOUTONNEUX

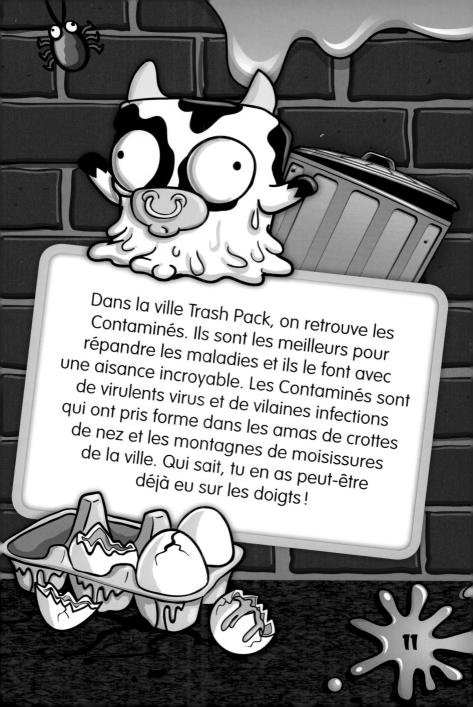

Dans la ville Trash Pack, on retrouve les Contaminés. Ils sont les meilleurs pour répandre les maladies et ils le font avec une aisance incroyable. Les Contaminés sont de virulents virus et de vilaines infections qui ont pris forme dans les amas de crottes de nez et les montagnes de moisissures de la ville. Qui sait, tu en as peut-être déjà eu sur les doigts !

Vadrouilleur a déniché des poubelles juteuses et crasseuses comme il les aime ! Quand on lui a demandé comment il les avait trouvées, il a répondu : « On m'a mis la puce à l'oreille ! »

©Moose

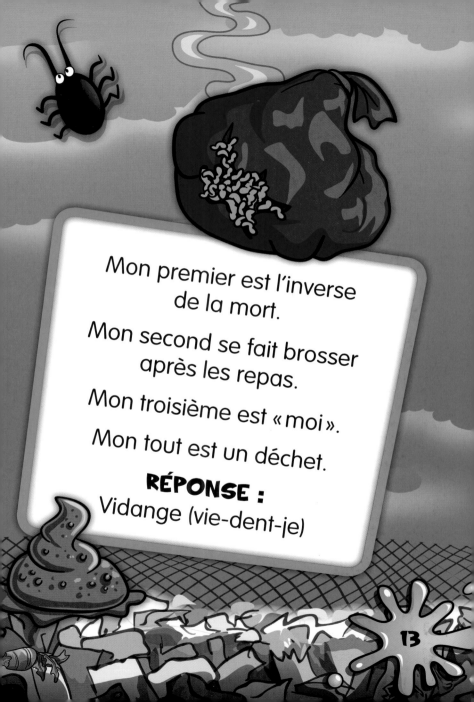

Mon premier est l'inverse
de la mort.

Mon second se fait brosser
après les repas.

Mon troisième est « moi ».

Mon tout est un déchet.

RÉPONSE :
Vidange (vie-dent-je)

13

Torcheur est vraiment
au bout du rouleau !

15

D-GOÛTANT :

D-Goûtant est une bactérie qui aime manger la chair ! Ne t'inquiète pas, il ne te volera pas ton repas, il préfère attendre que le bobo sur ton bras fasse une belle croûte jaunâtre pour la dévorer !

FAMILLE DE TRASHIES :
LES ORDURES

D-CANNE'DENCE

TORCHEUR

MORVEUX

ÉCRAN-BAVEUX

BAS-QUI-PU

BOÎTE-CRAPOTI

BOTTE-CRASSE

DÉGOBILLE

DÉBOUTEILLE

TOXI-DÉCHET

SOD'EUR

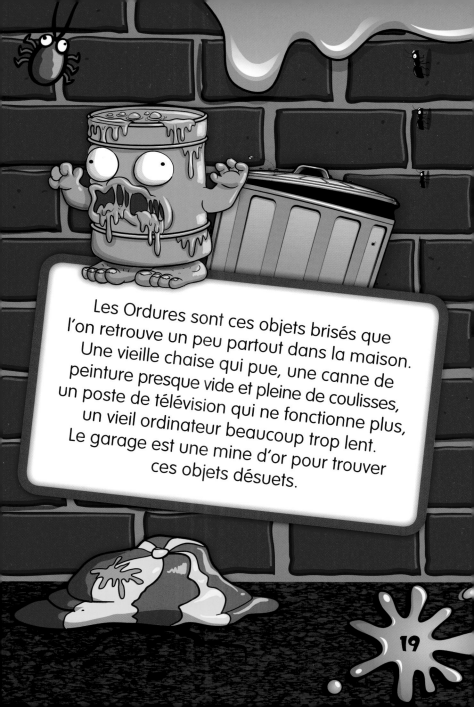

Les Ordures sont ces objets brisés que l'on retrouve un peu partout dans la maison. Une vieille chaise qui pue, une canne de peinture presque vide et pleine de coulisses, un poste de télévision qui ne fonctionne plus, un vieil ordinateur beaucoup trop lent. Le garage est une mine d'or pour trouver ces objets désuets.

Mon premier se retrouve dans les cheveux et cause des démangeaisons.

Mon second est très «jolie».

Mon tout sert à contenir les déchets.

RÉPONSE :
Poubelle (pou-belle)

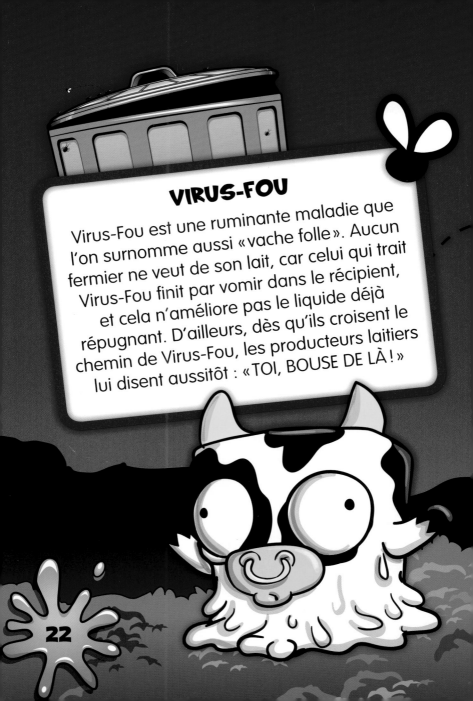

VIRUS-FOU

Virus-Fou est une ruminante maladie que l'on surnomme aussi « vache folle ». Aucun fermier ne veut de son lait, car celui qui trait Virus-Fou finit par vomir dans le récipient, et cela n'améliore pas le liquide déjà répugnant. D'ailleurs, dès qu'ils croisent le chemin de Virus-Fou, les producteurs laitiers lui disent aussitôt : « TOI, BOUSE DE LÀ ! »

Quand vous jouez au billard avec Canard'Eau, ne lui demandez pas à quel endroit il vise, il répond toujours : « Coin ! »

FAMILLE DE TRASHIES : LES SALETÉS

TI-PEANUT

SÛRETTE

SANDWICH RÔTÉ

LAITERON

PET-ZEL

BAGELLEUX

VOMI-GHETTI

C'RÉAL

TOURISTACO

Si c'est couvert de moisi, que c'est périmé et que ça sent le vieux, ça vient probablement des Saletés. Les Saletés sont des déchets de table qui sont loin d'être frais. On les retrouve dans un frigo sale, dans un garde-manger dégueulasse ou dans une boîte à lunch oubliée !

Gâto-Gâté est tellement effrayant que c'est une évidence : son crémage est fait avec du sucre à glacer le sang !

INFÂME-PÉPITE

Infâme-Pépite est une croquette de poulet qui a été oubliée dans un frigo pendant des mois. Elle est composée de poulet à 50 %, de pourriture à 40 % et de trucs indescriptibles à 10 %. D'ailleurs, ces trucs mis ensemble n'ont pas de nom connu, même si on peut visiblement identifier des plumes, des coquilles d'œufs et du moisi verdâtre. Miam !

Carie-La-Mite attend impatiemment l'arrivée du soir, au moment où s'ouvrent les lumières, afin de pouvoir danser et secouer son gros derrière miteux.

Mon premier allume
la flamme olympique.

Mon second désigne
une unité de temps.

Mon tout est le cousin de
l'essuie-tout : l'essuie-trou !

RÉPONSE :
Torcheur (torche-heure)

POM'POURRIE

Tu auras beau craquer pour croquer dans un fruit, il est faux de prétendre qu'une pomme par jour éloigne le médecin pour toujours. En fait, simplement en approchant Pom'Pourrie de ta bouche, tu approcheras à la fois les infirmières, le médecin, le chirurgien et, enfin, le gars de la morgue !

ESSAIE DE RÉPÉTER TROIS FOIS :

Pom'Pourrie peut partir pour piquer un pita pour papa.

MOUCHETURE

Il n'existe pas de Trashie plus pénible que Moucheture. Il vole et bourdonne autour de ta tête toute la journée et n'attend que de plonger dans ton lunch pour se régaler. Tu peux le retirer de ta bouffe, mais dis-toi qu'avant de poser ses pattes sur ton sandwich, il les a mises sur son plat préféré : une bonne crotte de chien bien fumante !

Quelle est la devise
de Poisson-Puant?
Arête donc!

36

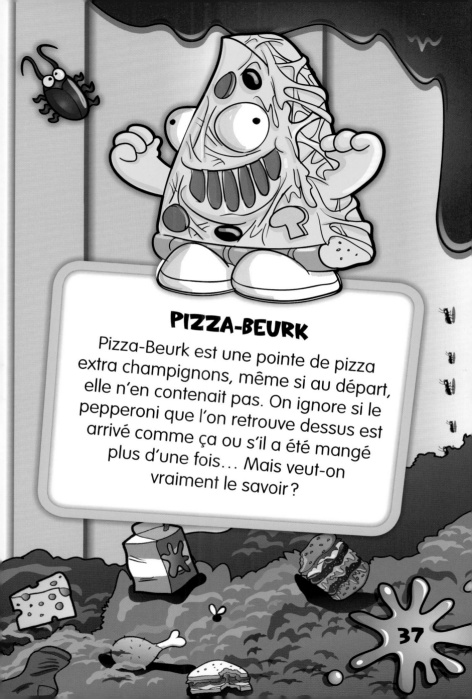

PIZZA-BEURK

Pizza-Beurk est une pointe de pizza extra champignons, même si au départ, elle n'en contenait pas. On ignore si le pepperoni que l'on retrouve dessus est arrivé comme ça ou s'il a été mangé plus d'une fois… Mais veut-on vraiment le savoir?

Pourquoi Craqu'œuf
s'est-il enfin épanoui ?
Parce qu'il a décidé de sortir
de sa coquille.

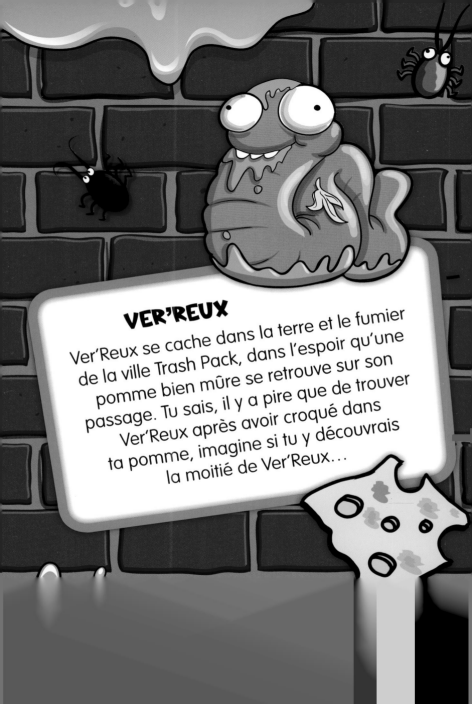

VER'REUX

Ver'Reux se cache dans la terre et le fumier de la ville Trash Pack, dans l'espoir qu'une pomme bien mûre se retrouve sur son passage. Tu sais, il y a pire que de trouver Ver'Reux après avoir croqué dans ta pomme, imagine si tu y découvrais la moitié de Ver'Reux…

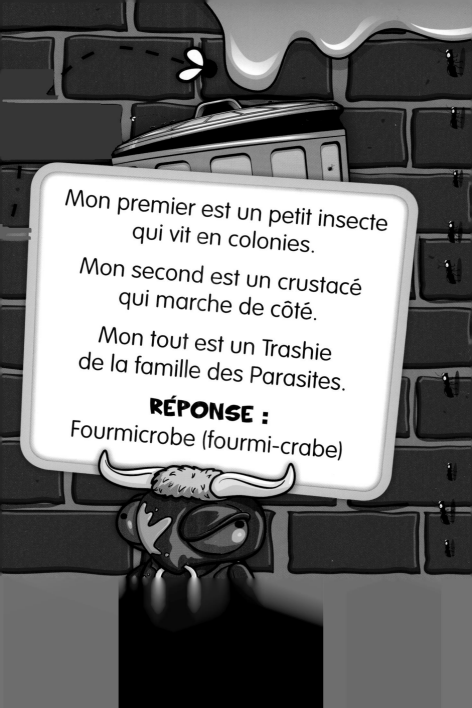

Mon premier est un petit insecte
qui vit en colonies.

Mon second est un crustacé
qui marche de côté.

Mon tout est un Trashie
de la famille des Parasites.

RÉPONSE :
Fourmicrobe (fourmi-crabe)

PAIN-MOISI

Sacré Pain-Moisi, il arrive à faire peur à tous les grille-pain de la ville Trash Pack. Même les mouettes ne veulent pas de ses miettes. Sa croûte est recouverte de croûte et sa pâte est composée de choses qu'on ne mettrait même pas pour éloigner les mouffettes.

POURRI-ORDURE

Pourri-Ordure est une (pas très) jolie chenille (dégoûtante et graisseuse) qui n'a qu'un rêve : devenir un superbe papillon (jamais de la vie !). Pour ça, elle devra d'abord sortir de son cocon sans que Mouette-Rapace ne l'attrape au passage !

Pourquoi Caméra Scrap
est-il un Trashie banal?

Parce qu'il ne fait que
répéter les clichés!

45

Comment se déplace Détritanosaur ?
Sur un vélo-ciraptor !

Que dit Boul'Asticot quand il veut porter un toast ?
Je lève mon ver !

46

47

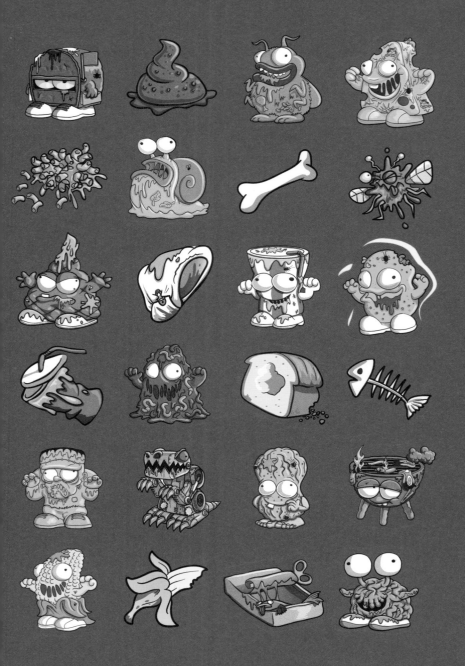